Manuel L. Alonso

LAS PELIRROJAS TRAEN MALA SUERTE

Edición a cargo de: Javier Navarro
Ilustraciones: Palle Schmidt

EDICIÓN SIMPLIFICADA PARA
USO ESCOLAR Y AUTOESTUDIO

Esta edición, cuyo vocabulario se ha elegido entre las palabras españolas más usadas (según CENTRALA ORDFÖRRÅDET I SPANSKAN de Gorosch, Pontoppidan-Sjövall y el VOCABULARIO BÁSICO de Arias, Pallares, Alegre), ha sido resumida y simplificada para satisfacer las necesidades de los estudiantes de español con unos conocimientos un poco avanzados del idioma.
El vocabulario ha sido seleccionado también de los libros de texto escolares "Línea", "Encuentros" y "Puente", comparado con "Camino" y "Un nivel umbral" del Consejo de Europa.

Editora: Ulla Malmmose

Diseño de cubierta: Mette Plesner
Foto: Polfoto/Michael Lykke

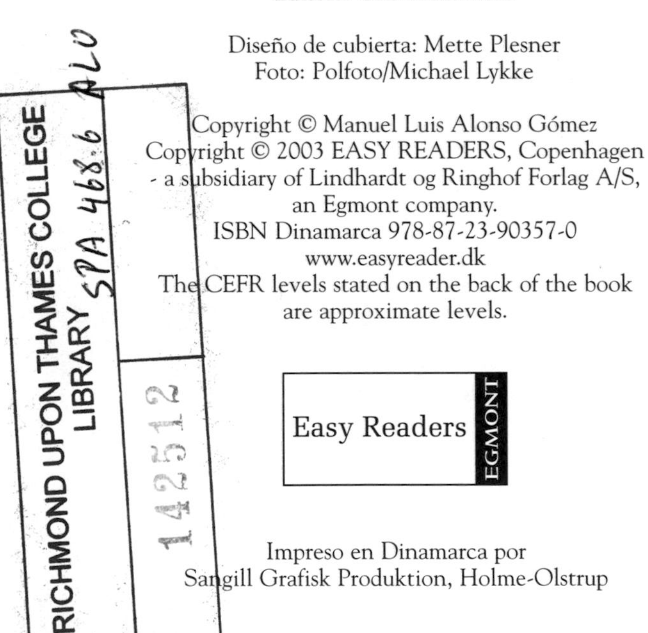

ISBN Dinamarca 978-87-23-90357-0
www.easyreader.dk
The CEFR levels stated on the back of the book
are approximate levels.

Easy Readers EGMONT

Impreso en Dinamarca por
Sangill Grafisk Produktion, Holme-Olstrup

BIOGRAFÍA

Manuel Luis Alonso nació en 1948, en Zaragoza (España). Comenzó a trabajar con quince años. Trabajó en una librería, como crítico de teatro y cine, para diferentes revistas... Fue en 1979 cuando decidió que quería ser sólo escritor.

Fue la decisión correcta. Ha escrito unos ciento cincuenta cuentos para adultos y unos cuarenta libros de aventuras, humor, etc. Sobre todo es conocido como autor de novelas para jóvenes. Numerosos premios de literatura juvenil lo confirman.

A Manuel Luis Alonso le gusta viajar y ha vivido en casi todas las regiones españolas: junto al mar, en una isla, en pueblos pequeños y en grandes ciudades.

Sin duda, una de sus mejores novelas es *Las pelirrojas traen mala suerte*. Se publicó en 1995. Recibió el premio literario Jaén 1995 y tiene ya más de diez ediciones en español.

1

-Mi nombre no importa. Lo único que importa es que soy un hombre libre.

Se echaron a reír, pero yo hablaba muy en serio.

-¿Cuántos años tienes? -preguntó el *líder*-. ¿Catorce? ¿Quince? 5

-Parezco joven, pero tengo más años -respondí.

-Pareces un niño. No queremos niños aquí. Ya tenemos bastantes problemas con la policía.

Era verdad. Vivir en una fábrica abandonada con gente de mi edad -bueno, algo mayores- me parecía 10 una buena idea, pero no quería encontrarme con la policía. Dudé unos instantes y finalmente me decidí:

-Me *escondo* si vienen. Y entre tanto puedo ayudar.

-Por supuesto que puedes ayudar -dijo una de las chicas-. ¿Crees que un *okupa* está de vacaciones? Y aquí no 15 hay trabajo de tíos y trabajo de tías. Todos somos iguales.

Comprendí que eso significaba que podía quedarme. *Sonreí.*

-Todos somos iguales -dije. 20

-Ven, te voy a enseñar esto, hombre libre -dijo el líder.

Los demás *continuaron hablando*, ocho o diez chicos y un par de chicas entre los dieciséis y los veinte o veintidós años, los unos con pelos largos y vaqueros rotos, 25

echarse a + infinitivo, comenzar a hacer algo
líder, modo de escribir en español la palabra inglesa "leader"
esconderse, ir a un lugar en el que otras personas no pueden verte
okupa, joven que vive en una casa que no es suya, sin pagar dinero
sonreír, reír un poco sin abrir la boca
continuar + gerundio, seguir + gerundio, hacer algo durante más tiempo

otros con el aspecto normal de la gente de mi barrio. Pero estábamos lejos de mi barrio.

Yo *llevaba* tres días durmiendo en las calles y me alegraba de haber encontrado una nueva casa. Era una
5 fábrica abandonada, enorme, con un pequeño *despacho*. Había basura de todas clases por el suelo. Una cuarta parte de la fábrica estaba ya limpia y vi *sacos de dormir* y comida.

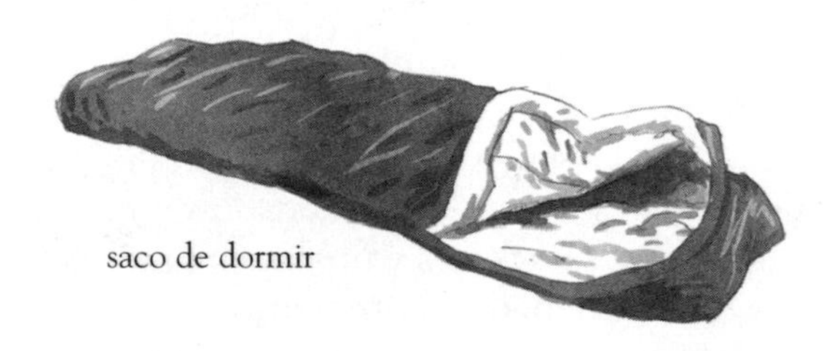
saco de dormir

-Yo me llamo Chema -dijo el líder- ¿Quién te ha
10 hablado de nosotros? ¿Cómo nos has encontrado?

-¿Lo dices de broma? Sois famosos, *hasta* se escribe sobre vosotros en el periódico.

-Ah, eso. Ese periodista no escribió más que tonterías. ¿Has sido okupa alguna vez? *Supongo* que no. Lleva-
15 mos aquí tres semanas, y por ahora no hemos tenido problemas, pero eso no significa nada. Al principio vinieron los *maderos*, y nos dijeron que no querían drogas por aquí. Si quieres quedarte, ya sabes: aquí nadie se droga, ¿de acuerdo, hombre libre?

llevar + gerundio, hacer algo durante un tiempo
despacho, habitación para trabajar o estudiar, normalmente con mesa, libros, etc.
hasta, incluso
suponer, creer algo sin estar completamente seguro
madero, policía (lenguaje de los jóvenes)

-Me llaman Chico. Y no me he drogado nunca.

Sentados en el suelo, como indios, los demás fumaban y se reían. Ya no me parecían tan terribles. Chema me dijo los nombres de algunos. Ellos hacían un *gesto* con la cabeza o la mano, sin darme más importancia. 5
Para mí, sin embargo, aquel momento era muy especial. Ellos eran mi nueva familia. Me senté junto a una chica *pelirroja*. Llevaba una *gorra* y ropa de trabajo azul.

gorra

-Toma -dijo, y me dio su cigarrillo-. Me llamo Helena, con *hache*. 10

-Es un nombre muy...

Aún no sabía hablar con un cigarrillo en la boca y mis ojos empezaron a llorar. Me sentía completamente *ridículo*.

-Tampoco es para llorar -dijo Helena y sonrió. 15

Debía tener unos cuatro años más que yo. "Es la chica más guapa que he visto en mi vida", pensé.

gesto, movimiento con la mano o la cara para expresar un saludo o un sentimiento
pelirroja, persona con pelo de color rojo
hache, la letra "h"; aquí Elena quiere decir que su nombre normalmente se escribe Elena en español
ridículo, algo o alguien que es motivo de risa

2

Mis padres no eran peores que otros. Eran personas normales. Nuestras discusiones nunca eran por motivos importantes. La última vez por las notas. Para mi padre mis cuatro *suspensos* fueron como el fin del mundo, y mi madre se echó a llorar. Para mí todo lo que mi padre decía era como una comedia. Creía que, en el fondo, no tenía nada que ver conmigo, que *tal vez* había un problema entre ellos e intentaban olvidarlo de ese modo.

Esa misma noche, mientras mis padres dormían, me levanté sin ruido, me vestí y preparé la *mochila*. Me fui en silencio, y en la mesa de la cocina dejé una nota.

mochila

Esa primera noche estuve caminando por *Granada*. *Al amanecer* estaba muy cansado y mis piernas se movían solas, pero sentía dentro de mí algo nuevo y desconocido. Comprendía que, con este acto de rebeldía estúpida, estaba buscando algo que para mí era esencial.

suspenso, no aprobado; en España la nota máxima es 10 y el suspenso es menos de 5
tal vez, quizás, a lo mejor
Granada, ciudad de Andalucía, en el sur de España
al amanecer, cuando sale el sol por la mañana

A lo mejor es así como se *madura* siempre.

El sol salió cuando estaba en la parte alta de la ciudad, en el *Albayzín*, con sus casas blancas y con el ruido de agua de sus jardines. Me lavé en una fuente. Desde un *mirador* podía ver la ciudad; frente a mí estaban la *Alhambra* y *Sierra Nevada*. Fue como ver mi ciudad por primera vez. Tenía que irme, pero quería volver un día a aquel mismo lugar.

Recuerdo que, por lo menos una vez en aquellos tres días que estuve solo, volví una vez a mi barrio. Estuve mirando mucho tiempo la ventana detrás de la cual estaban mis padres, sin duda preocupados. No sé lo que pensaba en aquel instante, tal vez quería volver.

Tenía algo de dinero, pero no quería usarlo. El hambre no me preocupaba demasiado. Peor era el problema de encontrar un lugar para dormir. Lo intentaba en la calle, en el banco de algún jardín, pero nunca conseguía dormir mucho tiempo. Entonces leí en un periódico sobre la *ocupación* de la vieja fábrica y comprendí que aquello era lo que necesitaba.

Después de dudar mucho, fui a la fábrica y dije:

-Mi nombre no importa. Lo único que importa es que soy un hombre libre.

madurar, hacerse mayor, empezar a ser adulto
Albayzín, barrio antiguo de Granada donde vivían los árabes
mirador, lugar desde el que se puede mirar una ciudad, el mar, etc.
Alhambra, lugar donde vivían los reyes árabes de Granada; monumento muy conocido
Sierra Nevada, montañas cerca de Granada
ocupación, entrar en la fábrica los "okupas" (ver pág. 5) para vivir en ella

3

-¡Necesitamos *pelas*! -gritó uno de mis compañeros okupas-. Sin pelas no se puede hacer nada.

Era, por lo menos, la quinta *asamblea* en los dos días que yo llevaba en la fábrica. Queríamos encontrar un 5 proyecto para enseñarlo a los vecinos y a la policía.

-¡Lo que necesitamos son más tías!

-¡O más tíos! -dijo rápidamente una de las chicas, aunque había cuatro chicos por cada chica.

Como siempre, Chema intentaba poner orden, pero 10 su filosofía anarquista no ayudaba mucho.

-Sólo debe hablar quien tiene algo que decir.

-Podemos hacer un grupo de teatro -dijo alguien.

-O enseñar cosas a los niños del barrio.

-¿Qué tipo de cosas?

15 -Música, dibujo, no importa.

-Si viene la policía, propongo enviar a Chico.

-Buena idea. Tú, Chico, les dices que estamos sin cigarrillos.

Yo tenía la impresión de estar en medio de una clase 20 sin profesor. Me preguntaba si mis compañeros creían de verdad que podíamos seguir así mucho tiempo. Esperábamos la visita de la policía de un momento a otro.

No todos se quedaban a pasar la noche: algunos se iban a su casa, con sus *viejos*. Los que lo hacían no eran 25 criticados. A la mañana siguiente llegaban con comida. Por las noches se bebía y fumaba mucho, y estaba mal visto acostarse antes del amanecer.

pelas, pesetas (lenguaje de los jóvenes)
asamblea, encuentro, juntarse para hablar sobre un tema
viejos, padres (lenguaje de los jóvenes)

Veía que mis compañeros eran, a su manera, gente responsable. El trabajo de limpieza de la fábrica iba más deprisa que con trabajadores pagados (lo cual era *sorprendente* pues nadie se levantaba antes de las dos de la tarde). Y mis compañeros tenían una cualidad que me gustaba mucho: vivían su vida y no *se metían* en mi vida. 5

Yo, sin embargo, *cometí* un error aquel mismo día, después de la asamblea. Estábamos limpiando y yo tenía que encontrar una *pala* que no estaba en su sitio. Busqué por todas partes sin encontrarla y finalmente miré en el despacho. A veces los objetos estaban en los lugares más raros. Chema y Helena estaban allí. Se estaban besando. 10

pala

Fue ella la que me vio. Tenía los ojos abiertos. No hizo nada. No se separó de Chema. Supongo que, para una chica, los chicos más jóvenes que ella no existen. 15

Mientras dudaba entre salir o preguntar por la pala, Chema *se volvió* hacia mí.

-¿Qué quieres, Chico? 20

-Estoy buscando una pala.

-¿Tienes tú una pala? -preguntó a Helena- ¿No? Yo tampoco tengo una pala, Chico. Te lo digo si veo alguna.

sorprendente, que sorprende, que es causa de sorpresa
meterse, preguntar, querer saber
cometer, hacer
volverse, mover la cabeza para mirar hacia atrás, mirar lo que pasa detrás de uno

Me hablaba con ironía, pero no estaba *enfadado*. Chema no se enfadaba nunca por nada. Los dejé solos, aunque no pude dejar de pensar en ello. Mi error fue hablarle a Helena más tarde, mientras trabajábamos 5 juntos:

-¿Eres la chica de Chema?

Ella llevaba, como siempre, su gorra y ropa de trabajo. Sus manos y su cara no estaban demasiado limpias. Yo no podía imaginármela con un vestido y los ojos *pin-* 10 *tados*. Me miró fríamente. Vi que sus ojos cambiaban de color en ese mismo instante: eran de un verde peligroso.

-Yo no soy de nadie.

Fue como haberme metido *hielo* dentro de la camisa.

15 -Perdona -dije.

Comprendí que, a diferencia de Chema, ella sí podía enfadarse. Aquel día no volví a hablar con ella ni con nadie. Pero no podía dejar de mirarla.

Tenía un cuerpo pequeño. Sus *hombros* eran perfec- 20 tos y sus pies eran pequeños y bonitos. En un lugar donde era difícil lavarse las manos, ella conseguía tener el pelo siempre limpio. Todo en ella me gustaba.

Yo la observaba y, por medio de conversaciones con otros, la conocí cada vez mejor. Supe que leía mucho, 25 que le gustaban las personas idealistas, que amaba las plantas y los animales, y que lo más importante para ella era su libertad.

Sé que, por la noche, en mi saco de dormir sobre el

enfadado, colérico
pintado, con color
hielo, el agua cuando está a menos de 0°C

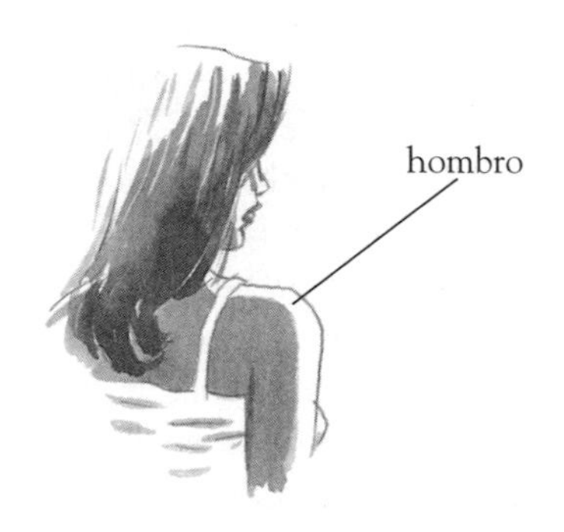

suelo de la fábrica, *soñaba* con ella. Pero por las mañanas nunca conseguía recordar mis sueños.

4

Dos cosas, una buena y una mala, me pasaron casi al mismo tiempo. Muchas veces, en la vida, las cosas buenas y malas pasan al mismo tiempo.

La buena fue que Helena se acercó más a mí. Empezó con una frase sin importancia ("¿Qué pasa? Nunca dices nada"). Pero mi buena suerte no terminó ahí. Hacía falta comprar algunas cosas, y se nos eligió a nosotros dos para hacerlo. Era el tipo de trabajo que una chica hace mejor que un chico; pero ella no era de la ciudad y no la conocía tan bien como yo.

Salimos de la fábrica y comenzamos a andar, contentos de hacer algo distinto. Era muy temprano y empecé a cantar. Helena conocía las mismas canciones que yo, y muchas más. No cantaba como los ángeles. Cantaba mal, ¿y qué? ¿A quién le importaba eso?

soñar, pensar en algo mientras se duerme

Helena sabía escuchar y en aquel largo camino, contra lo *habitual* en mí, empecé a contarle de mi vida. Ella también me habló de su familia. Era una gran familia y vivían en una casa enorme, con quince dormitorios y 5 seis cuartos de baño.

Después de hacer nuestras compras, el sol estaba muy alto, y eso en Granada, en junio, significa un calor terrible. Buscamos la *sombra* de casas y árboles, y después de un rato nos paramos en un mirador, como la 10 primera mañana de mi libertad.

Recuerdo, para siempre, las *callejuelas*, el ruido del agua en algún jardín, las *paredes* blancas, los gatos silenciosos que nos miraban. Sentados en un banco, fumamos y miramos las casas blancas. Tenía ganas de hacer 15 algo para no olvidar nunca ese día: besar a Helena o *pasar la mano por* la pared blanca. Pero sabía que lo mejor era quedarme en mi sitio, no decir nada.

Pero... lo bueno y lo malo, como tantas veces, vienen juntos. De vuelta a la fábrica, vimos desde lejos que la 20 policía estaba allí. Dejamos caer las bolsas y nos miramos. Estábamos en la parte más alta de una larga calle. Difícilmente podían vernos. Dos o tres de nuestros compañeros discutían con los policías. Yo quería correr hacia ellos.

25 -No podemos hacer nada, Chico.

Me volví hacia ella. Era mayor, tenía más experiencia de la vida que yo.

habitual, normal, acostumbrado
sombra, lugar en que no hace sol
callejuela, calle pequeña
pared, una habitación tiene cuatro paredes
pasar la mano por, hacer un movimiento con la mano sin separarla del objeto

-¿Qué hacemos?

-Vámonos -dijo-. Los podemos encontrar más tarde en alguna parte, la ciudad no es tan grande.

Echó a andar sin esperarme. Yo sólo dudé un momento. Miré por última vez mi casa de unos pocos días. Dije: 5

-No es *justo*. No es justo.

Alcancé a Helena y *nos alejamos* juntos.

5

No han pasado muchos años desde aquellos días. Yo ahora tengo el doble de edad, el doble de experiencia 10 que entonces y veo, como es natural, las cosas de otro modo, pero intento contarlas como las veía entonces. Guardo aquel día en mi *memoria*. Puedo vernos a Helena y a mí mismo (como mejor se ven las cosas: con los ojos cerrados): caminamos sin parar bajo el sol del 15 mediodía, con nuestras bolsas.

Helena pertenecía a esa clase de personas que, en los momentos difíciles, sabe ayudar. Era una persona en quien podía *confiar*. Para los problemas que a mí tanto me preocupaban encontró rápidamente una solución. 20 Fuimos a un bar del Albayzín. Conocía al dueño del bar y le dio las bolsas a cambio de una comida caliente y cama para esa noche. Su mirada y la del dueño del bar se encontraron mientras el hombre nos ponía la comi-

justo, correcto, como debe ser
alejarse, irse lejos de un lugar
memoria, recuerdo
confiar, tener la seguridad de que alguien te ayuda

da en la mesa. Me di cuenta de que entre ellos pasaba algo que no podía entender.

-¿Por qué no me dices dónde está Juan?

El del bar no quería oír preguntas.

5 -Ya te he dicho otras veces que no sé dónde está.

-¿Sabes al menos si está en Granada?

-No, no está en Granada.

Como buen *granadino*, él pronunciaba "Graná".

-Tú eres amigo de su padre. Conoces bien la ciudad

10 y los pueblos de la costa -dijo Helena-. Estoy segura de que vinieron aquí para pedirte ayuda.

-Les dije que no quiero saber nada. Yo no quiero más problemas.

-Tengo la impresión -dijo Helena- de que hay algo

15 que no me dices. ¿Sabes por qué se esconde? ¿Te lo contó?

El hombre movió la cabeza.

-Tampoco quiero saberlo, ya te lo he dicho. Sólo sé que la policía puede estar detrás de él.

20 -¿Te habló de mí?

-Ni una palabra.

-Si alguien pregunta por él, ¿me vas a avisar?

-Claro.

El dueño del bar se marchó. Comprendí que lo mejor

25 era no hablar después con Helena sobre esta conversación.

-¿Qué vas a hacer? ¿Quieres dormir aquí esta noche? -preguntó Helena.

Yo no esperaba una pregunta así.

30 -¿Aquí?

-Claro.

granadino, de Granada; los andaluces no pronuncian el final de muchas palabras

-Pero... sólo has hablado de una habitación.

Me miró sin saber cuál era el problema. Entonces lo entendió y se echó a reír.

-Qué tonto eres, Chico. Llevamos varios días durmiendo en la misma habitación. 5

-Tienes razón...

-Además, una habitación es más barata que dos. ¿Y tú, a dónde vas a ir?

-Estoy acostumbrado a dormir en la calle -dije.

-Si lo prefieres así. 10

Una parte de mí, siempre con miedo a las situaciones nuevas, *se quedó* tranquila. Ya estaba. Ya no podía seguir con Helena. "Felicidades, Chico, si querías volver a estar solo, lo has conseguido". Pero la otra parte de mí fue la que habló: 15

-De acuerdo. Me quedo, gracias.

Esa tarde anduvimos por la ciudad en busca de los compañeros de la fábrica, pero Chema y los otros no estaban por ninguna parte. Tal vez ya no estaban en Granada. 20

Por la noche, mientras comíamos un *bocata*, le conté que quería ser escritor.

-Tienes que escribir para las mujeres -me hablaba en serio, como a un adulto-. Las mujeres necesitamos las palabras que en la vida real no nos dice nadie. Muchas 25 veces leemos para encontrar en los libros esas palabras.

Entonces mi mano encontró en el *bolsillo* del pantalón mi pequeño secreto: unos cuantos billetes. Mientras los demás se gastaban hasta su última *peseta* para la

quedarse, estar, sentirse
bocata, bocadillo (lenguaje de los jóvenes)
bolsillo, ver ilustración en página 20
peseta, moneda/dinero de España hasta el año 2001

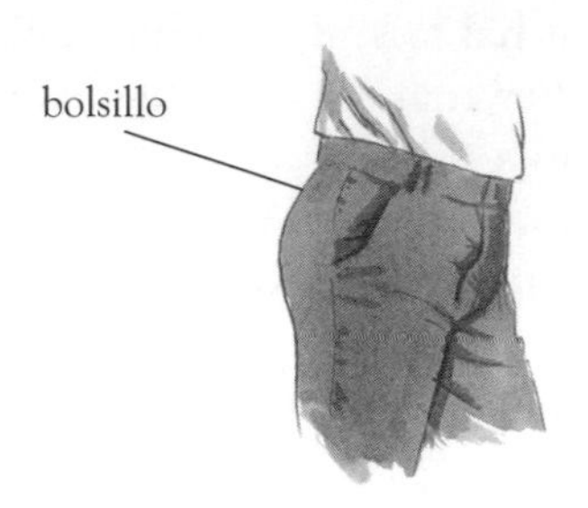

compra común, yo guardaba todavía unos billetes. Me sentí egoísta. Quise tirar los billetes, pero, nunca se sabe, a lo mejor nos servían más adelante. Si hay una lección que un joven aprende pronto, gracias a los adultos, es que el dinero es importante.

Esa noche, en una pequeña habitación con dos camas, se quitó la ropa *de espaldas a* mí. Recuerdo su pelo que caía sobre los hombros; al *apartar* la ropa de la cama, pude ver por un momento formas y líneas. Luego la luz de la *luna* y su *respiración* regular, cercana.

6

Por la mañana Helena me dijo que su amigo el del bar (yo tenía dudas de si realmente era un amigo) nos dejaba pasar una noche más en la habitación. Después fuimos hasta una vieja librería donde tenían libros muy baratos. Recuerdo algunos momentos de esa mañana

de espaldas a, sin mirar; la otra persona ve la espalda (parte de atrás del cuerpo)
apartar, poner a un lado, quitar
luna, satélite del planeta Tierra
respiración, tomar aire por la boca o la nariz

como instantes de felicidad perfecta. Me di cuenta de que Helena conocía más libros que yo y el tiempo se nos pasó sin darnos cuenta. Compramos tres libros con el dinero que nos quedaba.

Después paseamos por la ciudad y nos encontramos con una conocida de Helena, que le dio una mochila y un poco de ropa. Cuando la vi con un vestido de flores pequeñas me sentí feliz. No era exactamente mi chica, pero eso no importaba. Estaba conmigo, y eso bastaba.

Esa noche volvimos más temprano que la *anterior* a nuestra pequeña habitación. Los dos necesitábamos una buena ducha y lavar nuestra *ropa interior*. Este tipo de pequeñas cosas, en las que normalmente no se piensa, se convierten en algo muy importante cuando se vive en la calle.

Ella tardó mucho. Yo necesité menos tiempo del que ella suponía, porque, cuando salí del baño, pareció estar sorprendida. Tardé unos segundos en comprender que el pantalón y los billetes que tenía en las manos me pertenecían.

Me miró con una mirada que no conocía en ella. No le pregunté qué estaba haciendo -era obvio- y ella no me dio ninguna explicación. Al dormir esa noche, pensé que algo era diferente entre nosotros.

Dormía aún cuando Helena me despertó. Vi que ya estaba completamente vestida.

-Vístete, Chico, tenemos que irnos.

Era muy temprano y apenas entraba luz por la ventana. Helena me *indicó* con un gesto la ventana. Miré y vi

anterior, la noche antes
ropa interior, ropa debajo de los pantalones o la camisa
indicar, señalar; la otra persona mira entonces hacia el objeto indicado

que un coche de la policía estaba parado frente a la puerta del bar.

Tenía muchas preguntas: ¿por qué han venido?, ¿es a mí a quien buscan?, ¿cómo han sabido que estaba aquí?
5 Pero no había tiempo. Me vestí a *toda prisa.*

-Sígueme.

Salimos de nuestra habitación sin hacer ruido y nos paramos. No se oía nada. Empezamos a bajar la escalera. Para salir a la calle sólo conocíamos un camino:
10 bajar al bar y *atravesarlo*, pero sin duda los policías estaban en el bar con el dueño.

Aún teníamos una posibilidad. El bar tenía forma de *ele* y los policías -ahora podíamos oírlos- estaban hablando con el dueño cerca de la puerta, desde donde
15 no podían vernos. Atravesamos el bar por el *fondo*, por la parte que se usaba como comedor, y nos metimos en la cocina. La cruzamos y llegamos a un puerta. Un segundo más tarde estábamos en la calle.

Corrimos *pegados a* las casas sin parar.
20 -Tenemos que alejarnos lo más posible -dijo Helena.

Bajamos por una *estrecha* calle. Era relativamente larga, y tan recta como pueden ser las callejuelas del Albayzín. Vi que, abajo, al final de la calle, había una *obra*. En ese momento apareció una *furgoneta* a nuestra
25 espalda.

a toda prisa, muy rápido
atravesar, cruzar, andar desde un lado hasta el otro lado
ele, la letra "L"
fondo, parte más alejada, parte final
pegado a, sin separación, junto a
estrecho, muy poco ancho
obra, casa que está sin terminar
furgoneta, automóvil más grande que un coche y más pequeño que un camión

Nos volvimos los dos a la vez, sorprendidos. Era una vieja furgoneta Volkswagen. *Vino a por* nosotros y nosotros nos pegamos a la pared. *Frenó* y *dio marcha atrás*.

No había la menor duda: venía de nuevo a por nosotros. 5

-¡Cuidado! -gritó Helena.

Me pegué a un lado de la calle y ella al otro. Vi venir la furgoneta por la calle estrecha. No había tiempo para correr: ninguna puerta o ventana donde esconderme. Cerré los ojos y sentí la furgoneta a pocos centímetros; 10

venir a por alguien, buscar a alguien, intentar llegar a alguien
frenar, pararse
dar marcha atrás, volver hacia atrás, conducir hacia atrás; la furgoneta sube así la calle

noté moverse el aire caliente como la respiración de un animal.

Por segunda vez, la furgoneta frenó y dio marcha atrás. Le grité algo al conductor, no sé qué. Mientras la furgoneta subía la calle marcha atrás, vi a Helena en una puerta, *asustada* y *pálida*.

-¡Corre! -grité.

Nuestros pies apenas tocaban el suelo mientras corríamos hacia abajo. Por tercera vez la furgoneta vino hacia nosotros.

Entonces vi la estructura metálica de la obra. Me subí y ayudé a Helena, que llevaba la mochila. Subimos rápidamente. Apenas estábamos a la altura del primer piso de la casa, cuando la furgoneta *se estrelló* contra la estructura metálica. Todo vibró.

Helena seguía a mí lado. Oí el motor de la furgoneta y la vi salir con dificultades. Después la furgoneta desapareció.

Esperamos unos segundos, incapaces de reaccionar.

-Se ha ido. Creo que podemos bajar.

Bajamos con cuidado. Al poner los pies en el suelo, aparecieron tres o cuatro personas.

-Una furgoneta que no podía frenar -explicó Helena-, pero estamos bien.

Y, para mi sorpresa, nos fuimos de allí sin dar más explicaciones.

-¿Por qué has dicho eso? No ha sido ningún accidente. Venía a por nosotros, tú lo has visto igual que yo.

Me miró sin responder. Comprendí que había algo que no me decía.

asustado, con miedo
pálido, de color blanco
estrellarse, llegar a un lugar a mucha velocidad

-¿Quién era? ¿Lo sabes?

No -respondió.

Me miraba a los ojos, pero eso no significaba nada. Hay mucha gente que mira a los ojos cuando *miente*. Y ella estaba mintiendo. 5

-Chico -dijo finalmente-, no he pedido tu compañía.

Tenía que elegir: seguir a su lado sin hacer preguntas o perderla. Y perderla era lo único que no me sentía capaz de hacer por ella.

7

Salimos de Granada. Un coche nos llevó a *Órjiva* y luego seguimos andando. Estábamos ya lejos del último pueblo y no se veía ni un coche por la carretera. *De pronto* nos dimos cuenta de que ya no éramos dos, sino tres. Una *cabra* caminaba detrás de nosotros. 10

mentir, no decir la verdad
Órjiva, pueblo aproximadamente a 50 kilómetros al sur de Granada, donde comienza a haber montañas
de pronto, cuando algo pasa muy rápido y sorprende

-¿De dónde ha salido esa cabra?

Era blanca y pequeña. La carretera subía más y más, y ella seguía con nosotros. Si nosotros nos parábamos, ella se paraba. Si me acercaba a ella, se alejaba.

-Yo creo que la cabra se ha enamorado de ti -dijo Helena.

-Gracioso. Muy gracioso.

La cabra se quedó con nosotros todo el día. Ya por la tarde en el cielo aparecieron nubes negras. La mochila era pesada y me dolían los pies. Llevábamos todo el día andando.

-¿Vas bien, Chico? -preguntaba Helena de vez en cuando- ¿Te cojo la mochila?

-Voy bien -mentía yo.

Cada vez que oía a nuestras espaldas un motor, pensaba en la furgoneta. Empezó a llover, y por fin un coche se paró a nuestro lado. El conductor, un hombre de unos cuarenta años, nos invitó a subir.

Dije adiós a la cabra y me senté atrás. Helena, aunque no quería, tuvo que sentarse junto al conductor.

Antes de pasar cinco minutos, comprendí que teníamos nuevos problemas. El conductor no dejaba de hablar a Helena, de sonreír a Helena, de mirar a Helena. Intentaba ser simpático, pero su sonrisa era tan falsa como un billete de novecientas pesetas. Para demostrar lo macho que era, conducía como un loco por la carretera estrecha, y se volvía todo el tiempo hacia Helena en vez de mirar a la carretera.

-Conduce con las dos manos -dijo ella de pronto.

El conductor se rió y puso las manos en el *volante*. Pero no las dejó allí mucho tiempo.

Pude oír claramente la voz de Helena, aunque no gritaba.

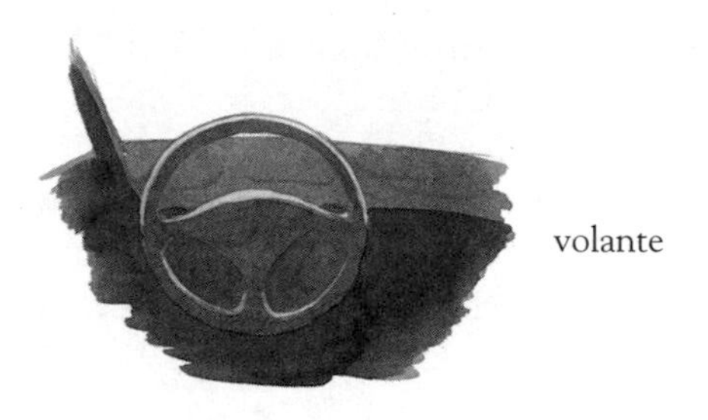

volante

-Para el coche.

Bueno, la verdad es que no dijo solamente "para el coche". Dijo "para el coche" y otra palabra más, una palabra que hizo *palidecer* al hombre.

Helena, sin esperar, abría ya su puerta. El hombre frenó y yo bajé también a toda prisa. Después se fue y nos gritó un par de *insultos*, pero no los conocía tan *fuertes* como Helena. *5*

Caminamos unos minutos en silencio, bajo la lluvia. Ya era de noche. De pronto Helena cogió mi mano y señaló a lo lejos. Se veían las luces de un pueblo. *10*

8

Era difícil andar. Con la lluvia y la noche no era posible ver dónde poníamos los pies. Hacía más frío de lo habitual en junio.

-¡Así no podemos llegar al pueblo! *15*

Nos metimos debajo de un puente. Helena dijo que en aquellos pueblos no había hoteles y que a esa hora

palidecer, estar pálido (ver pág. 24), de color blanco
insulto, palabra ordinaria y vulgar
fuerte, aquí significa mala, vulgar

tampoco era fácil encontrar una casa donde dormir. Eso me recordó al dueño del bar.

-¿Crees que el del bar llamó a la policía?

Estábamos pegados contra la pared del puente.

5 -No lo sé. Tal vez.

-¿A quién crees que buscaban? -pregunté aunque creía conocer la respuesta.

-¿Qué quieres decir?

-¿Tú estás *huyendo* de la policía?

10 No respondió. Estaba *temblando*. Buscó en la mochila y encontró un jersey. Me lo ofreció, discutimos sobre quién se lo ponía y al final se lo puso ella.

-Te olvidas de una cosa, Chico. No nos ha *perseguido* la policía, sino un loco con una furgoneta.

15 -¿No sabes quién era?

Parecía que iba a responder, pero cambió de idea y se quedó en silencio. Después dijo:

-La chica que me dio la mochila me dijo dónde podía encontrar a un amigo que vive en estos pueblos. Maña-

20 na buscamos su casa, pero ahora tenemos que hacer un *fuego*.

-No sé cómo. Todo está mojado.

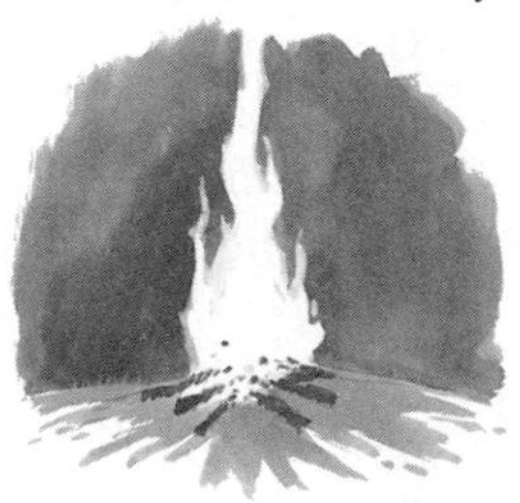

fuego

huir, correr, salir de un lugar de modo que otras personas no pueden encontrarte
temblar, moverse el cuerpo sin control, a causa del miedo o del frío
perseguir, buscar a alguien, ir detrás de alguien

Buscamos otra vez dentro de la mochila. Helena sacó los libros y me los enseñó muy contenta.

-¡Eso no! -dije.

-Es una necesidad, Chico. Te aseguro que a mí también... 5

-¡Los libros no! ¡Prefiero pasar frío!

-Los volvemos a comprar, te lo prometo.

Miré cómo *ardían* las primeras páginas en el fuego. Luego el libro entero, y los otros.

Los ojos de Helena eran en ese instante de un verde 10 color de mar como el jersey que llevaba puesto. Fuera, a un metro, seguía lloviendo. Me daba igual.

De pronto hizo una pregunta que no me esperaba:

-¿A ti no te gustan las chicas de tu edad?

-Algunas. 15

-¿Cuáles?

-Las que parecen mayores.

Se rió.

-Incluso las de tu edad son demasiado mayores para ti, Chico. No te vas a enamorar de una chica mayor que 20 tú, ¿verdad? Por cierto, no puedes llamarte Chico. Nadie se llama Chico. ¿Por qué no me dices tu nombre?

-Prométeme que no vas a reírte.

-Prometido.

-Me llamo *Buenaventura*. 25

-¡Buenaventura! ¡Pero si es fantástico!

-¿Lo dices en serio?

Se quedó en silencio unos minutos. Su pelo seguía mojado.

-No sé, creo que es mejor si no vienes conmigo. 30

arder, ser parte del fuego
Buenaventura, este nombre, poco habitual en España, significa "buena suerte"

-¿Por qué?
-Puede ser peligroso.
Para cambiar de conversación, dije:
-Se está bien, ¿verdad? Hemos hecho un buen fuego.
5 -Sólo me falta una cosa para vivir un momento perfecto -respondió.
-¿La cabra? -dije en broma.
Me miró con una sonrisa triste.
-No, una persona.
10 Aquello me dolió. Pero estaba aprendiendo a no hacer preguntas y prefería no decir nada.
-Es tarde -dijo Helena-. A ver si podemos dormir y mañana continuamos.

9

Nos levantamos con frío y hambre. Yo cogí la mochi-
15 la, que era ya parte de mí, como una cámara de fotos para un japonés. Hablamos poco hasta llegar al pueblo. Por suerte encontramos un bar en seguida.
-¿Conoce a Héctor? -preguntó Helena al dueño del bar.
20 Me pareció que el viejo dudaba. Al fin respondió negativamente.
-Un chico de mi edad, que no es de aquí. Lleva poco tiempo en el pueblo. Pelo largo, moreno...
-No conozco a nadie así.
25 -Es extraño -dijo Helena mientras se volvía hacia mí.
El café era fuerte y estaba muy caliente. Comimos también unos buenos bocadillos. Después salimos y volvimos a preguntar a un par de ancianos que estaban sentados en una plaza pequeña. De nuevo una respues-
30 ta negativa.

-Creo que ya sé lo que pasa. Le están *protegiendo.*

Volvimos al bar, en el que había dos clientes nuevos. Eran dos hombres altos, norteamericanos.

Uno se llamaba "Pira", es decir, Peter pronunciado en americano. Pira no conocía más que tres o cuatro palabras de español. Sabía decir: "un vaso de leche" y algún insulto.

Decía:

-Un vaso de leche.

Y el viejo del bar le daba vino.

Helena les preguntó si conocían a su amigo. El que no era "Pira" estaba bebido. Preguntaba "¿qué pasa?". Su "what's the matter" sonaba más o menos a:

-Guachemara?

"Pira" y el que no era "Pira" se pusieron a discutir en voz alta. Los dos querían hablar con Helena. El dueño del bar, para no tener problemas, dijo:

-La última casa del pueblo. Allí vive Héctor.

Nos fuimos y dejamos a los yanquis con su discusión. Atravesamos el pueblo y no tardamos en encontrar la casa, pequeña, pintada de blanco y vieja.

Héctor saludó a Helena muy contento. Se abrazaron, se besaron, rieron, se volvieron a abrazar.

-Héctor, te presento a Chico, un buen *colega.*

Nos dimos la mano.

Héctor tenía la mirada directa de un niño, aunque parecía algo mayor que Helena. Llevaba el pelo largo hasta más abajo de los hombros. Nos llevó a una habitación con un par de mesas, un sofá viejo y libros.

-¿Os importa? -pregunté y cogí uno de los libros. Salí al jardín para dejarles hablar solos. Muchas veces los

proteger, dar protección a alguien de modo que puede vivir sin peligro
colega, compañero, amigo (lenguaje de los jóvenes)

libros me han ayudado. Aquélla fue una de esas veces. Al llegar a la segunda página, ya no pensaba más en Helena y Héctor.

5 Pasé una hora leyendo. Después Héctor propuso tomar un té. Helena se ofreció para prepararlo. Héctor la acompañó a la cocina y volvió.

-Yo también he sido okupa un par de veces.

-¿Y esta casa?

10 -Ésta la pagamos, pero es que es muy barata. Miguel Ángel, el chico que vive conmigo, tenía un poco de dinero, y de vez en cuando vamos a Granada y vendemos artesanía. ¿Helena te ha hablado de Juan? -preguntó *de golpe*.

-No. ¿Por qué?

15 -Por nada, olvídalo.

Se quedó en silencio unos instantes, pero luego pareció cambiar de idea:

-Si la quieres un poco, dile que Juan no es bueno para ella. Debe olvidarlo.

20 -No me va a hacer caso.

-Tienes razón -sonrió-. Helena no intenta nunca cambiarte. Pero tampoco es posible cambiarla a ella. Tiene sus defectos -siguió-. Creo que el dinero le interesa más de lo que dice. Pero es que lo necesita. ¿Crees

25 que una chica como ella debe dormir en el suelo de una fábrica abandonada?

Le hablé de la casa de Helena, enorme y *hermosa*. Héctor sonreía mientras me escuchaba.

Tiene sus defectos -repitió-. A veces tiene mucha

30 fantasía. ¿Entiendes lo que quiero decir?

-¿Conoces la casa? ¿No es tan grande?

de golpe, de pronto, sin esperarlo
hermosa, bonita

-Éramos del mismo barrio, en Madrid. Un barrio pobre. Pero no importa: de todas formas, Helena es una princesa. ¿No estás de acuerdo?

En ese instante apareció ella con el té.

Más tarde, mientras Héctor dormía (en aquella casa los horarios eran muy raros), Helena y yo mirábamos una vieja televisión en blanco y negro.

Helena me preguntó por Héctor.

-Parece un tío muy *legal* -respondí-. Ya sabes lo que quiero decir.

-Sí, tienes razón. Hace mucho tiempo que lo conozco, desde que éramos niños.

-¿Y por qué en el pueblo no nos querían decir dónde encontrarlo?

-Héctor se está escondiendo.

-¿Y qué ha hecho? Perdona, perdona, olvídalo. No es *asunto* mío.

-Te lo voy a decir, no hay ningún problema. Es un *insumiso*.

-¿En serio?

-Sí, no quiere hacer la *mili*.

-¿Eso es todo? ¿Y por eso tiene que esconderse como un criminal?

-Así es.

-Yo no pienso hacerla -dije, aunque acababa de decidirlo en aquel mismo instante.

Sonrió y me pasó la mano por el pelo, como a veces se le hace a un niño. Era la primera vez que hacía un

legal, correcto, buen amigo (lenguaje de los jóvenes)
asunto, un asunto mío es algo que me importa
insumiso, persona que no quiere hacer el servicio militar
mili, servicio militar: actualmente no existe en España

gesto así. Se me paró el corazón. ¡Una *caricia* de Helena!

-Deja de mirarme así, bobo.

Era el momento. Tenía que intentarlo. Con palabras, claro.

-Es que eres muy guapa. Cuando te vi por primera vez, pensé: es la chica más guapa que he visto en mi vida.

-¡Eh! ¿Qué es eso? ¿Una declaración de amor? -dijo en broma.

-Te lo digo como amigo -mentí-. Además, ahora que has encontrado a Héctor...

-Termina. ¿Qué quieres decir?

-Bueno, nada, sólo que... que tú y él... en fin, supongo que ahora volvéis a estar juntos.

Estuvo en silencio un buen rato.

Héctor es mi amigo -dijo finalmente muy seria-. Solamente amigo. Y, como veo que no te has dado cuenta, te digo algo más. Es "gay".

-¿De verdad? -la boca se me abrió varios centímetros. Por supuesto que lo decía de verdad.

Estaba pensando a toda prisa en lo que esto significaba.

-Tú has venido aquí para preguntar por *un tal* Juan. Dices que Héctor es tu amigo, pero lo que te interesa ahora es saber dónde está ese Juan.

-Eso es. ¿Por qué? ¿Héctor te ha dicho algo de él?

-No -mentí-. Y Juan... ¿Juan también... es "gay"?

Si ella contestaba que sí, yo podía empezar a pensar

caricia, pasar la mano con amor por una parte del cuerpo de otra persona

un tal, así quien habla expresa claramente que no se conoce a esa persona

en tener alguna oportunidad.

Su risa me *sobresaltó*. Se reía alto y enseñaba sus dientes muy blancos. Yo no me sentía gracioso, sino más bien estúpido.

-Bueno, ¿qué pasa? ¿De qué te ríes? 5

-Perdona, tu pregunta me ha hecho gracia. No, Juan no... La verdad es que Juan es mi novio.

-¿Tu novio?

-Sí, vamos a casarnos.

Sonrió, pero era una sonrisa triste. 10

-Es decir, si consigo encontrarlo.

10

Nos fuimos esa misma noche, cuando volvió el compañero de Héctor. Salimos a la carretera y empezamos a caminar en busca de un sitio donde pasar la noche. Yo no entendía por qué hacíamos aquello, sobre todo porque Héctor y su compañero nos ofrecían su casa. Pero en el fondo me daba igual: con Helena iba hasta el fin del mundo. Encontramos bajo unos árboles un lugar adecuado, cerca de un río. Durante la noche volvió a hacer frío. Me desperté. Temblaba. Ella se despertó también y, sin decir nada, me abrazó.

Por la mañana me levanté antes que ella y fui a lavarme al río. Cuando volví, ella estaba ya despierta. Me sonrió.

-¿Qué tal? Voy a bañarme al río. ¿Vienes? 25

No tenía ningunas ganas de probar otra vez el agua

sobresaltar, sorprender, dar una gran sorpresa

tan fría, del *Mulhacén*, pero la acompañé. En el río, para mi sorpresa, Helena se quitó toda la ropa y caminó *desnuda* hacia el agua.

No podía apartar mis ojos de ella. Sus piernas eran más fuertes de lo que pensaba. Aquel defecto me *encantó*. Hacía tiempo que estaba esperando encontrar en ella alguna imperfección.

-¿Qué pasa? -preguntó, sin enfadarse, al sorprender mi mirada-. ¿Estoy gorda?

-Gorda y fea -respondí-. Tienes el pelo de color *panocha*.

Sonrió y movió el pelo. El pelo era lo que más me gustaba de ella.

Se metió en seguida en el agua y yo me senté a mirarla.

-¿No vienes?

Dije que no con la cabeza, pero en seguida empecé a quitarme también la ropa. Al poner los pies en el agua, ella empezó a *salpicarme*.

El agua estaba tan fría, que me quedé sin respiración. Nadé y me alejé de Helena. De pronto, allí estaba. Tenía que pasar. Un hombre nos miraba desde el otro lado del río. Para ser exacto, a quien miraba era a Helena.

-Hay un tío que nos mira.

-¿Dónde?

Señalé hacia el lugar, pero ya no estaba.

Mulhacén, montaña de Sierra Nevada de 3.478 metros; en España sólo es más alto el Teide, en las islas canarias
desnuda, sin ropa
encantar, gustar mucho
panocha, rojo
salpicar, mojar a otra persona con agua

-¿Hablas en serio? ¿Estás seguro?

De pronto, Helena parecía preocupada, incluso asustada. No conseguía entender qué era lo que le daba miedo.

-Sólo era un *mirón*. Algún *campesino* que nos ha visto.

-O tal vez alguien que viene detrás de nosotros -dijo seria.

-¿Por qué iba alguien a hacer eso?

-Hay algo que no te he contado, Chico, y creo que debes saberlo.

Nos vestimos y comenzamos a andar por la carretera, de vuelta a Granada. Nos fuimos sin desayunar, mi comida favorita, pero no dije nada.

-No volvemos a casa de Héctor porque es peligroso para ellos. Y para ti también es mejor separarte de mí al llegar al primer pueblo. Pero no ahora, por favor. Tengo miedo.

En ella, esas palabras eran *insólitas*. Caminábamos deprisa. Su pelo seguía mojado.

- Hay un hombre que puede estar *siguiéndome* -dijo sin mirarme-. No sé si es el que conducía la furgoneta.

Volví la cabeza, pero la carretera estaba vacía.

-¿Es tu novio? El que te sigue, ¿es Juan?

-No, no. Ya te dije que no sé dónde está Juan.

-¿Pues quién es?

-¿Para qué quieres saberlo? Sólo puedo decirte que es peligroso y que no va a parar hasta encontrarme.

mirón, persona que mira a desconocidos
campesino, persona que trabaja en el campo
insólito, no acostumbrado, no usual
seguir, perseguir, buscar a alguien

-¿Por qué te sigue?
-No más preguntas, Chico. Si quieres ayudarme, ayúdame, pero deja de hacer preguntas. Volvemos a Granada.
5 -¿Por qué? Ese hombre puede estar allí, tal vez te espera.
-El compañero de Héctor me habló de alguien que ha visto a Juan en Granada. Tengo que hablar con esa persona.
10 Tenía el *presentimiento* de que no era buena idea volver a la ciudad. Pero, si alguien no tiene nada bueno que decir, es mejor callar.

11

Al volver a Granada, empezamos a buscar pensiones baratas. Helena no quería enseñar su carnet de identi-
15 dad y yo no tenía. No sé cuántas horas estuvimos buscando. Escribí una carta a mis padres y Helena me acompañó a *Correos*. Dijo que conocía un *hostal* cerca de allí y que, si no había otra solución, enseñaba su carnet.
20 El hostal era un pequeño laberinto, viejo y limpio. Estábamos tan cansados que dormimos doce horas.
Helena se sentía más segura en la ciudad, pero yo no. En Granada me podían encontrar y me podían obligar a volver a casa. Sin Helena, volver a casa no era un pro-
25 blema, pero Helena me necesitaba. Yo podía al menos

presentimiento, tener un presentimiento es creer saber algo
Correos, lugar para echar cartas y paquetes
hostal, hotel normalmente barato

acompañarla y tenía dinero suficiente para *sobrevivir* unos días.

En todo el día no vimos a nuestros antiguos compañeros okupas, ni tampoco al chico que podía decir a Helena dónde estaba Juan. Por la noche, al volver al hostal, vimos que las cosas de la mochila estaban desordenadas. 5

-¿Crees que han sido los dueños?

Era una pareja bastante *siniestra*. Él, gordo y pesado, con *cuello* de toro. Ella muy delgada y con una mirada poco simpática. 10

-Sí -dijo Helena-. Y además alguien ha venido mientras nosotros no estábamos y se ha acostado aquí. Vámonos.

-¿Ahora? 15

-No, vamos a esperar a la noche. Y a partir de ahora dormimos una sola noche en cada sitio.

Volvía a ser la chica decidida y fuerte que yo conocía.

Esperamos hasta muy tarde. Salimos al pasillo y empezamos a movernos hacia la puerta. 20

Detrás de una esquina estaban los dos, de pie, el

sobrevivir, vivir con dificultad
siniestro, que da miedo

hombre toro y la mujer de mirada *maligna*.

Miré a Helena. Estaba pálida. El hombre se puso delante de nosotros, como una pared.

-¿Dejan la habitación?

5 -Sí -respondió Helena-. Ya hemos pagado antes.

-Las personas normales no se van así, de noche.

Hablaba el hombre. La mujer sólo miraba y me parecía más peligrosa que él.

-Quiero salir -dijo Helena al hombre.

10 Él miró a su mujer; le preguntó con la mirada. La mujer dijo:

-Nosotros no queremos tener nada que ver. Es un problema entre la policía y ellos.

El hombre necesitó un poco de tiempo, pero final-
15 mente se apartó de nuestro camino. Helena salió sin decir nada más. Yo la seguía, cuando la mujer *sujetó* mi brazo.

-No quiero volver a veros -dijo.

Me solté y seguí a Helena. Un minuto más tarde, en
20 la calle, reíamos felices y libres. Helena propuso esperar al amanecer e ir entonces a la estación a dormir unas horas. Era una idea excelente y le dije que estaba de acuerdo.

Atravesamos calles que yo conocía bien, pero a esa
25 hora me parecieron distintas, más pequeñas. Estábamos llegando a la *plaza de Bib-Rambla*, donde queríamos sentarnos. Pensé en las palabras de la mujer. ¿Por qué sabía que teníamos problemas con la policía?

maligno, que desea algo malo a los otros
sujetar, coger fuertemente
soltarse, quedar libre, escapar
plaza de Bib-rambla, plaza en el centro de Granada, junto a la catedral

De pronto oí a mi espalda una respiración.
Me volví y vi a un hombre delgado.
Sin mirarme, sujetó a Helena por el pelo.
Estábamos en una callejuela corta que terminaba en la plaza, solos los tres en la noche. Helena gritó. El hombre la *golpeó* con una violencia terrible. A mí el miedo no me dejaba moverme. 5
El hombre era mucho más fuerte que Helena. Le vi la cara durante un instante. Lo que más me asustó fue ver que era una persona normal, como las demás. Era joven, guapo, bien vestido. Nada *tenía sentido*. 10
Corrí hacia la plaza cuando pude reaccionar. En busca de ayuda o para huir, no lo sé. El hombre, mientras golpeaba a Helena, se reía. Se reía.
-¡Chico! 15
La voz de Helena me alcanzó en la esquina. Me necesitaba. Yo temblaba. Si aquel hombre quería *matar* a Helena, antes tenía que matarme a mí. Volví hacia ellos.
El hombre me miró rápidamente. Seguramente pensó que yo sólo era un niño. Helena tenía la ropa *desgarrada*, tenía sangre por la cara. La soltó y vino hacia mí. Yo no era capaz de hablar, de golpearle. Con una mano me sujetó la camisa y con la otra empezó a golpearme. Sus *puños* cayeron sobre mi cabeza. 20 25
Helena intentó *escapar*. El hombre fue tras ella y la sujetó de nuevo. Yo lo veía todo desde el suelo, desde

golpear, dar golpes, dar con la mano o con otro objeto
tener sentido, tener una explicación
matar, quitar la vida, dejar sin vida a otra persona
desgarrado, roto
puño, forma de la mano cuando está cerrada
escapar, huir, correr

otro mundo. Tenía sangre en la boca. El hombre sacó una *navaja* y la puso en el cuello de mi amiga. Pensé que la mataba allí mismo. La obligó a volverse de espaldas contra un coche y a bajarse el pantalón. Ella pronunciaba insultos entre lloros. La cabeza *me daba vueltas*. Entonces oí las voces.

-¡Eh! ¿Qué haces? ¡Déjala!

Los vi como en un sueño, tres chicos que corrían hacia nosotros. El hombre dudó un momento, guardó su navaja y desapareció sin darse prisa.

Llegué junto a Helena. Ella me miró sin saber quién era. Le pasé un brazo por los hombros. Temblaba.

-Se ha ido. Tranquila, se ha ido.

Los desconocidos preguntaron si Helena se encontraba bien. Eran de la edad de ella, muchachos de pelo largo y ropa sucia. En mi vida me he alegrado tanto de ver a alguien como a ellos aquella noche.

Helena miró sus manos, llenas de sangre. Luego empezó a llorar en silencio.

Yo me sentía completamente infeliz, con ganas de morir en aquel mismo instante.

12

Nos llevaron a un hotel de la plaza, y desde allí telefonearon a la policía.

Helena sólo me habló una vez.

-Gracias, Chico -dijo, cogió mis manos y las besó.

La pusieron en un sofá. Antes de llegar la policía, los

navaja, cuchillo
dar vueltas (*la cabeza*), no poder pensar ni ver claramente

chicos desaparecieron. Comprendí que yo tenía que hacer lo mismo.

-Helena -le dije en voz baja-, tengo que irme. Pero no te voy a dejar sola. Voy a estar cerca de ti. De verdad. 5

Sonrió un poco. Su cara estaba muy mal. Va a necesitar tiempo para volver a ser la chica más guapa de todas, pensé. Yo tampoco estaba muy bien, pero al menos podía andar.

Salí y me alejé lo más deprisa posible. 10

Me dolía todo el cuerpo. ¿Debía volver a mi casa? Después de mucho pensarlo, decidí esperar tres días. Antes tenía que hacer lo posible por ayudar a Helena.

En las siguientes horas bajó la temperatura. Cuando llegó la mañana, era incapaz de dar un *paso* más. Me 15 senté en un banco y, sin quererlo, me quedé dormido. Desperté con el sol muy alto. Desayuné y fui a la recepción del hotel. Allí me dijeron en qué hospital podía encontrar a Helena.

En su habitación había dos camas. Helena estaba en 20 la cama más cercana a la puerta.

Le pregunté cómo estaba. Respondió que no demasiado mal y dijo que se alegraba de verme.

Todo era blanco en la habitación, desde las puertas a la ropa de cama. "El color que mejor *sienta* a las peli- 25 rrojas", pensé, "ha tenido suerte". Era un pensamiento estúpido.

-Tengo que contarte todo -dijo ella-. No quería hablarte de mi problema, porque... en fin, pensé que no era asunto tuyo. Pero ahora es distinto. 30

paso, movimiento al andar
sentar, si un vestido sienta bien, esa persona parece más guapa

-No tienes que contarme nada si no quieres.

-Sí, deseo hacerlo. Todo empezó hace aproximadamente un mes, en Madrid. A lo mejor recuerdas un *atraco* a un banco en el que murió uno de los clientes. Los *atracadores* consiguieron huir. Yo estaba allí. Era una de los clientes que había en el banco en ese momento. Estaba con mi novio, Juan, te he hablado de él. Cuando entraron los atracadores, tuvimos que *tumbarnos* en el suelo. Éramos ocho o nueve personas, y uno de los clientes era un militar *retirado* y tenía una pistola. Sacó su pistola, pero los atracadores fueron más rápidos y le *volaron la cabeza*. Eran dos. Me fijé especialmente en el que mató al militar retirado porque estaba a un metro de mí; me di cuenta de que tenía una *cicatriz* en la mano, en diagonal. Desde el suelo podía ver sus manos como ahora veo las tuyas.

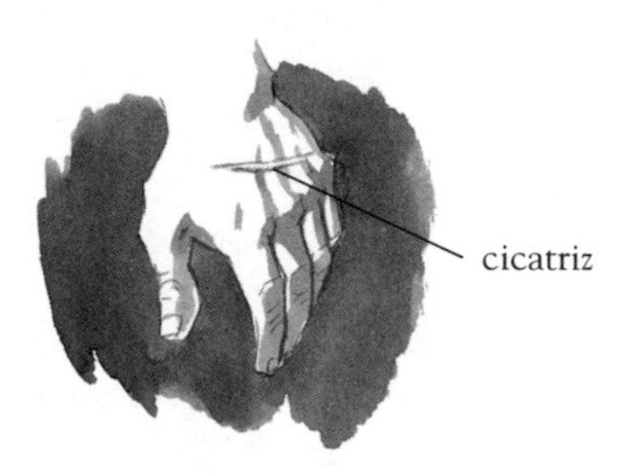

atraco, entrar en una tienda o banco para conseguir el dinero con violencia
atracador, persona que atraca
tumbarse, ponerse en el suelo o en una cama
retirado, que ya no trabaja porque es demasiado viejo
volar la cabeza, matar

Hizo una pausa. Después siguió.

-Unas horas más tarde, Juan y yo tuvimos que hablar con la policía. Nos llevaron a una habitación donde había dos inspectores que nos hicieron algunas preguntas. *Estaba a punto de* hablarles de la cicatriz, cuando la vi. Cruzaba la mano de un policía. En un primer momento no entendí nada, pero al menos no me puse nerviosa. No había la menor duda: era el mismo hombre, el atracador del banco. Incluso *reconocí* su voz. Miré a Juan y le indiqué la cicatriz con un gesto. Fue un error. El policía *adivinó* que acababa de reconocerle. Nuestras miradas se encontraron. Nunca voy a olvidar esa mirada, como tampoco voy a olvidar la forma en que murió aquel hombre en el banco, a mi lado.

Helena dejó de contar porque se oían voces junto a la puerta. Cuando se alejaron, siguió contando:

-Juan y yo decidimos que lo mejor era huir del policía. No sólo era un atracador, sino también un hombre capaz de matar. Yo no dije nada a mi familia, pero Juan sí habló con la suya; su padre le obligó a separarse de mí por un tiempo. Yo supe que Juan estaba aquí, en Granada, pero no he podido encontrarle. No puedo entender por qué él no ha intentado ponerse en contacto conmigo.

La historia de Juan era lo que menos me interesaba; mejor dicho, si él la olvidaba, mejor para mí.

-¿Crees que el hombre de la furgoneta era el policía?

-Estoy casi segura.

estar a punto de, querer hacer algo o pasar algo dentro de un instante
reconocer, darse cuenta de quién es una persona; darse cuenta de algo que uno ha visto o ha oído antes
adivinar, darse cuenta de algo

-¿Y cómo pudo encontrarte tan pronto, y *anoche* otra vez?

-He pensado mucho en eso. Recuerda que en el Albayzín sólo queríamos pasar, en principio, una
5 noche. Fue el del bar quien me invitó a pasar un día más. Supongo que llamó a la policía de aquí, y ellos avisaron a Madrid. Ese inspector tuvo suficiente tiempo para venir a Granada y conseguir una furgoneta.

-¿Quieres decir que toda la policía está a su favor?

10 -No. Es más simple que eso. Oficialmente él *se ocupa de* la investigación sobre el atraco, y Juan y yo hemos desaparecido. Piénsalo: nosotros dos estábamos en el atraco del banco, y de pronto desaparecemos. Probablemente ha aprovechado nuestra desaparición y ahora
15 toda la policía de España tiene nuestra foto. Todo esto son *suposiciones*, naturalmente, pero estoy segura de no equivocarme.

-Así que anoche probablemente estaba delante del hostal y nos esperaba.

20 -Mala suerte -dijo Helena-. Siempre he tenido mala suerte.

Era el momento. Entonces o nunca. Le cogí la mano y se la besé. Me sonrió. No importaban los golpes en su cara: estaba guapísima. Me encontré con sus ojos *fijos*
25 en los míos. Su cara se acercó despacio y nuestros *labios* se encontraron.

"Te quiero", pensé.

Lo pensé, pero no lo dije. No lo dije, y ahora, después

anoche, la noche antes
ocuparse de, aquí, ser él quien investiga el atraco, ser su responsabilidad
suposición, suponer algo, no saberlo con seguridad
fijo, que no se mueve

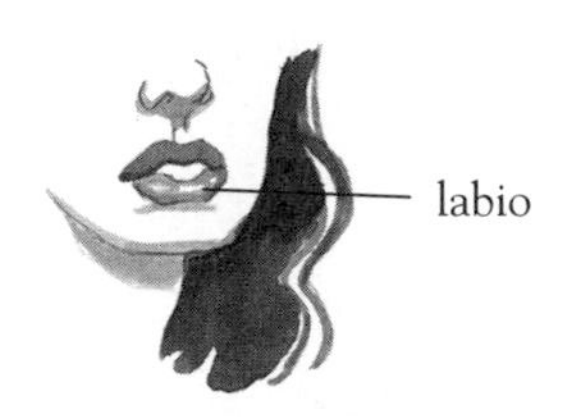

de tantos años, siento no haberlo dicho. Decirlo seguramente no sirve para cambiar las cosas, pero uno se siente mejor.

-Tengo que salir de aquí, Chico. ¿Quieres ayudarme?

Entonces se abrió la puerta. 5

13

Entró la otra mujer que estaba en la habitación, acompañada por su *marido*.

Helena habló un poco con ella. Comprendí que ya eran amigas. Era una chica no mucho mayor que Helena, *gitana*. 10

-¿Estás decidida? -preguntó.

-Estoy lista -respondió Helena.

-Se lo he contado a mi hombre, y está de acuerdo.

El gitano dijo que sí muy serio.

-Pero tenemos que darnos prisa. La hora de las visitas está a punto de terminar. 15

Yo no entendía una palabra, pero eso era lo habitual con Helena.

Intentó caminar. Dio unos pasos hasta la ventana. La

marido, hombre casado
gitana, ver ilustración en página 50

muchacha sacó del armario una falda negra y una blusa blanca. Se las dio.

gitana

-Ponte esto; no vas a irte con tu ropa.

Helena cogió la ropa y fue al baño.

5 -Ahora la coges (decía "cohe") del brazo y salís de aquí los dos como una pareja que ha venido de visita -explicó la gitana a su marido.

-Vale.

-Y mucho cuidado: ese hombre puede estar por aquí.

10 -¿Y yo? -pregunté a Helena cuando salió del baño.

-Tú puedes hacerme un favor muy grande, Chico. Intenta encontrar a Juan. ¿Recuerdas a la chica que me dio la mochila? Voy a ir a su *buhardilla*. Es en la *plaza de la Trinidad*; hay un bar en una esquina y una casa muy

15 vieja al lado.

-Pero, ¿cómo voy a encontrar a Juan?

-Uno de los "hippies" de la plaza de Bib-Rambla, un

buhardilla, habitaciones en lo más alto de una casa
plaza de la Trinidad, plaza en el centro de Granada, cerca de la plaza de Bib-Rambla

tal Max, sabe dónde está Juan -mientras hablaba, se pintaba los labios y los ojos-. Ayer no pude encontrar a Max; a lo mejor hoy está allí. Cuéntale que eres amigo mío. Si al final no puedes encontrar a Juan, vete esta noche a la buhardilla que te he dicho. 5

Me dio un rápido beso en la cara y salió con el gitano.

-A ver lo que hacéis, ¿eh? -sonrió la gitana.

-Tened mucho cuidado -dije yo.

Era imposible reconocer a Helena. Después de unos 10 minutos salí de la habitación. En el pasillo todo estaba normal. Bajé hasta la *planta baja*: también allí todo estaba normal. Después salí a la calle y me senté en un banco a pensar. Eran pensamientos negros. Ahora yo era un *mensajero* que tenía como misión juntar de nuevo a 15 "mi" chica con su chico. No tenía ninguna gracia.

Después me dirigí a la plaza de Bib-Rambla en busca del llamado Max. La plaza estaba llena de vendedores de artesanía; entre ellos había muchos *camellos* que regularmente *bajaban al moro*, conocidos con el nombre 20 de hippies, o *melenudos*, o *peludos*.

Al preguntar por Max, me dijeron que acababa de volver del moro. Max, el chico con el pelo más largo de toda la plaza, tardó un rato en comprender que lo que yo quería no eran drogas. 25

-Juan estaba en una casa en la costa, pero acaba de volver a Granada. Lo he visto a mediodía. Lo puedes encontrar en...

planta baja, parte de una casa igual de alta que la calle.
mensajero, persona que lleva una noticia a otra persona
camello, persona que vende drogas (lenguaje de los jóvenes)
bajar al moro, ir a Marruecos para comprar hachís (lenguaje de jóvenes)
melenudo, *peludo*, joven con el pelo largo

Me dijo el nombre de un bar, allí mismo, al lado de la plaza, un bar que sólo abría por la noche. Sólo tenía que esperar una o dos horas. Por desgracia todo era demasiado fácil: Helena podía terminar de nuevo con
5 su chico y yo definitivamente fuera de su vida.

14

Pasé por la misma calle que la noche anterior. Fue una sensación extraña. Helena no hablaba nunca de sus cosas, pero yo supuse que conocía el motivo del intento de *violación* del policía. Después de un crimen
10 sin *móvil* hay siempre una investigación. "Si una chica aparece muerta sin motivo, lo primero que se busca es el móvil. Si aparece violada y muerta, simplemente se busca a un violador", más o menos debía de ser lo que pensaba el policía.

15 Fui al bar. Estaba lleno de gente que hablaba en voz demasiado alta. Hacía mucho calor y era difícil andar entre la gente. Al otro lado de la barra había dos chicas. Intenté llegar hasta ellas.

Por fin, después de varios intentos, conseguí pregun-
20 tar a una:

-¿Conoces a Juan, de Madrid?

Tardó unos segundos en contestar. Miró hacia alguien que estaba muy cerca de mí. Me volví y vi a un hombre con *barba* y camisa negra que bebía solo.

25 -Pregúntale a él.

El hombre me llamó con un gesto y nos apartamos a un lado.

violación, obligar con violencia a una mujer a un acto sexual
móvil, motivo, causa de un crimen

-¿Para qué buscas a Juan?

-Eso sólo se lo digo a él.

-Yo soy Juan.

Había pelos blancos en su barba. No tenía menos de treinta años, tal vez treinta y cinco. Es decir, para alguien de mi edad, un viejo. El novio de Helena era un viejo. Eso volvía a Helena todavía más *inalcanzable*.   5

-Tengo noticias de Helena -dije.

-Helena... ¿Te envía ella? ¿Está bien? Espera, ven conmigo. Mi hotel está muy cerca.   10

"La casa donde está Helena también", estuve a punto de decir, pero algo me hizo callar. Tenía la extraña impresión de que en alguna parte alguna cosa no era como debía ser. Le seguí en silencio hasta un hotel impresionante. Nos sentamos en el sofá de un salón vacío.   15

-¿Helena está en Granada?

Respondí que sí.

-¿Dónde?

-En casa de una amiga.   20

No parecía tener demasiadas ganas de verla. Defini-

inalcanzable, que no se puede alcanzar, lejana

tivamente algo iba mal. Al menos para Helena.

-¿Está bien?

-No. Ha estado en el hospital. Se ha escapado y está asustada.

-¿Ese policía está en Granada?

Le conté rápidamente sobre la furgoneta y sobre el intento de violación. Me escuchó con la máxima atención. Antes de terminar, se puso en pie:

-Vamos, llévame con ella.

Me cogió y me sacó del hotel. En la puerta, miró hacia los dos lados para asegurarse de que no nos seguían. Las calles estaban llenas de personas que disfrutaban del buen tiempo antes de ir a cenar. Una mujer se paró delante del hotel. Dio dos pasos hacia mí. En un primer momento, no la reconocí.

-¡Buenaventura!

Sólo los profesores usaban mi verdadero nombre. Ella, "la Peggy", tenía mal carácter y sus clases eran muy aburridas. Era una profesora que me suspendía siempre.

-¡Buenaventura! ¿Qué haces aquí?

No sé qué absurda respuesta le di. No me escuchaba. Hablaba a toda velocidad. Me dijo que mis padres no paraban de buscarme, que media ciudad estaba buscándome.

-¿Dónde has estado todos estos días?

Miraba al hotel, miraba a Juan y me miraba a mí. No sé qué pensamientos *depravados* pasaron por su cabeza.

-Tú te vienes conmigo ahora mismo.

-No.

-Ya lo creo que sí. Cogemos un taxi y te llevo a tu casa.

-No -repetí.

-Te digo que cogemos un...

Juan me apartó con un gesto y se puso delante de ella. La miró. No levantó el brazo ni la voz. Sólo dijo:

-Aparta o te mato.

"La Peggy" dio un paso atrás, su boca se abrió sin control unos centímetros. Intentó hablar, pero no le salían las palabras. Cuando por fin gritó, nosotros ya estábamos lejos.

Mientras nos metíamos en una callejuela vacía, miré a Juan con admiración. Los madrileños tienen fama de ser *duros*, como todo habitante de una gran ciudad, y acababa de ver una demostración. Expliqué a toda prisa que era una profesora y que sentía un encuentro así. Juan movió la cabeza sin hacer comentarios. La mayor

depravado, aquí significa que la profesora piensa que son homosexuales
levantar, subir el brazo, ponerlo alto
duro, con carácter fuerte y frío

parte del tiempo tenía el aspecto de una persona a la que nada importaba demasiado. Desde luego, no parecía especialmente asustado, aunque un policía psicópata estaba detrás de él.

5 Pocos minutos más tarde llegamos a la casa. Subimos la escalera y nos paramos delante de la puerta de la buhardilla.

Juan llevaba una cazadora. La abrió y buscó algo que apenas se notaba en su camisa negra. Más que verlo, 10 adiviné lo que era.

-Vamos, llama.

Y en ese instante, de golpe, supe claramente dos cosas. Primera: yo era un *inútil*. Segunda: él no era Juan.

15

Yo no podía apartar mis ojos de la pistola, ni podía 15 pensar claramente. ¿Cómo podía creer que aquel hombre era Juan? A Juan lo escondía su padre, y estaba claro que un hombre como aquél no necesitaba protección de su padre. Entonces pensé en los dos atracadores del banco. El policía era uno. Y el otro... O tal vez no. Tal 20 vez... pero era una posibilidad en la que prefería no pensar... tal vez Helena me mentía. Toda esa historia del atracador que en realidad era un policía... ¿No era más fácil suponer que la verdad era otra? "Por ejemplo, pensé, una pareja atraca un banco. Él se lleva el dinero y 25 deja a la chica. La chica le busca y la policía les busca a ambos. Y entonces aparece un *pringado* que la ayuda

inútil, persona que no sirve para nada
pringado, inútil, tonto (lenguaje de los jóvenes)

porque se cree lo primero que le dicen".
-Llama -repitió el hombre.
Llamé.
Abrió la amiga de Helena. Llevaba un vestido violeta. Detrás de ella, sentadas en el suelo, había cinco o seis personas que hablaban.
-Pasad.
No hizo preguntas. El hombre que me acompañaba escondía su pistola. Helena no estaba allí, y no había motivo para gritar: "¡Cuidado, lleva una pistola!". Entramos y nos acercamos al grupo. Reconocí a uno de los chicos, un tal Juanjo, un okupa de la fábrica. Había también dos *barbudos*, tal vez estudiantes, y dos chicas.
-El chico es amigo de Helena. Te llaman Chico, ¿verdad?
-Yo soy Horacio -dijo el hombre.
-Buen nombre para un profesor -dijo uno de los barbudos-. ¿Eres profesor?
-Algo así.
Horacio miraba a las chicas y algo en esa mirada me dejó adivinar el motivo: no conocía a Helena, y estaba intentando saber cuál de ellas era.
-Horacio el del "*carpe diem*" -dijo el mismo barbudo.
-Eso es. Ya sabéis: la vida es corta y debemos disfrutar el momento presente.
Los demás sonrieron. Se sentían felices de encontrar un colega de más edad que pensaba como ellos.
Nos sentamos en el suelo y Horacio dijo que le gustaba la buhardilla.

barbudo, hombre con *barba* (ver pág. 53)
carpe diem, palabras latinas que significan "disfruta el día"; las escribió el autor latino Horacio (65-8 antes de Cristo)

-Los genios siempre han vivido en buhardillas -dijo alguien-. *Haydn* vivió en una, y *Balzac* también.

Creo que era la primera vez en mi vida que oía esos nombres. Los otros parecían encantados con Horacio. Comenzaron a hablar. Yo pregunté a Juanjo en voz baja por Helena.

-Yo también quiero saber dónde está -dijo Horacio, sonriente.

Al parecer, Horacio podía oír todo.

Durante unos segundos, nadie habló. Detrás de nosotros, fue la chica con el vestido violeta quien habló.

-No sabemos dónde está Helena.

Era evidente que mentía.

Horacio se puso en pie sin movimientos rápidos. Su espalda quedó contra la pared. Así nadie podía sorprenderle por detrás. "Es un profesional", pensé sin saber qué quería decirme a mí mismo exactamente. Se acercó a una puerta, sin duda la puerta del dormitorio de la buhardilla. Las otras puertas eran del baño y de la cocina. Horacio no se equivocaba: si Helena estaba en la casa, tenía que estar al otro lado de aquella puerta.

Entonces la abrió de golpe.

Pude ver a Helena en pie junto a una antigua cama metálica. Llevaba de nuevo su ropa de trabajo y me pareció muy pálida.

Entonces pasaron tres cosas al mismo tiempo. La chica del vestido violeta gritó. Helena intentó cerrar la puerta de golpe mientras él ponía un pie delante de la puerta. Y yo me levanté y fui hacia Horacio. Sólo tuvo que levantar su mano. Tuve la impresión de que cogía

Haydn, compositor de música, de Austria (1732-1809)
Balzac, escritor francés (1799-1850)
Al parecer, parece como si, uno tiene la impresión de que

mi cabeza con una sola mano y la *retorcía*. Me vi en el suelo. La chica de violeta volvió a gritar. Horacio se abrió la cazadora y enseñó la pistola.

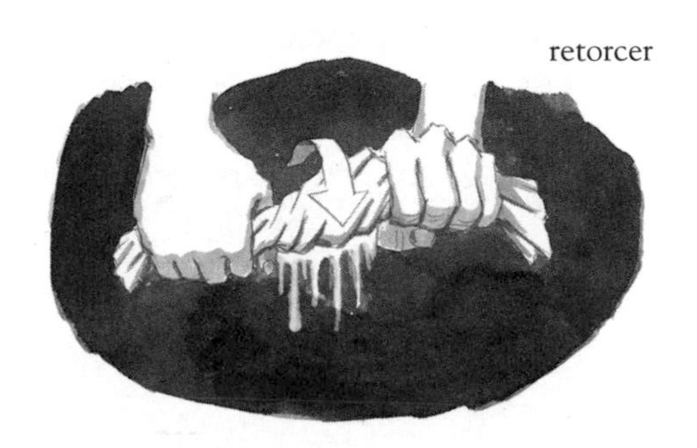

retorcer

-Tú no eres profesor -dijo, en mi opinión tontamente, el mismo barbudo de antes.

-Soy policía -sonrió Horacio-. Nadie es perfecto.

Helena no podía escapar. En la habitación sólo había una ventana muy pequeña. Horacio se volvió hacia ella.

-Juan me dijo que eras muy guapa. Es verdad.

Sacó un papel de un bolsillo y se lo dio a Helena. Helena lo leyó en pocos segundos y le miró sorprendida.

-Está bien -dijo-. Es un amigo.

-Te llevo con él -dijo Horacio.

-¿Ahora?

-Ahora mismo, si quieres.

Por una vez, yo no era el único que no comprendía nada. Los otros escuchaban en perfecto silencio.

-Tengo que irme -explicó Helena a sus amigos-. Voy a estar bien.

-¿Vienes? -me preguntó Horacio.

Bueno, yo podía decir tres cosas sobre él, una que no me gustaba y dos que sí. Primera: era un policía. Segunda: me ayudó con la Peggy. Y tercera: me estaba invitando en serio a acompañarles. Por supuesto dije que sí.
5 Al salir a la calle, Horacio paró un taxi. Helena entró la primera. Cuando ella no podía oírnos, me dijo en voz baja:

-De verdad me gusta, pero es pelirroja. Ya sabes lo que se dice.

10 -Las pelirrojas traen mala suerte.

16

Helena no hablaba, sólo miraba hacia afuera. Yo me sentía *molido*. Le pregunté a Helena por el papel.

-Es del padre de Juan. Dice que ha *contratado* a Horacio.

15 Me volví hacia él.

-¿Contratado? Entonces no eres policía.

Sonrió.

-No exactamente.

-¿Y eso qué significa?

20 - El padre de Juan habló con un amigo suyo, un *juez*. El juez creyó que no podía hacer nada sin *pruebas* contra un policía. Por eso le habló de mí.

-¿Eso es posible? -pregunté a Helena.

-Todo es posible cuando se es tan rico como el padre

molido, muy cansado
contratar, pagar a una persona por un trabajo que la persona tiene que hacer
prueba, algo que demuestra algo claramente; por ejemplo aquí quién mató a una persona

de Juan. Tiene amigos en todas partes.
Hizo una pausa. Luego dijo:
-Todo el mundo hace lo que él quiere, hasta su hijo.
Llegamos al hotel de Horacio. En el salón, al fondo, había un hombre de cierta edad. Se puso en pie al vernos y Helena y él se saludaron. 5
-¿Dónde está Juan? -preguntó en seguida Helena.
-En este momento, en el avión. Siempre quiso conocer Venezuela o Brasil, y éste era el momento adecuado. 10
-No lo creo.
-Pues es verdad.
Helena movió la cabeza de un lado a otro, triste.
-Ya sabes la mala noticia -dijo Horacio-. Ahora vamos a hablar de cosas positivas. 15
Helena lo miró sin verle.
-Horacio ha estado ocupándose de la seguridad de Juan -dijo el padre-. Ahora puede ocuparse de la tuya.
Helena se sentó en un sofá.
-Helena -dijo Horacio-, Chico me ha contado que estuvieron a punto de matarte. Sabes que van a intentarlo otra vez. No puedes seguir escondiéndote toda la vida. 20

"Y nadie puede pagarle un viaje a Sudamérica", pensé yo. "Siempre el dinero".

-Helena, la buena suerte ha empezado. Yo fui quien tuvo la idea de alejar a Juan..., y debo decir que él rápidamente estuvo de acuerdo. Mientras él hablaba con su padre y mientras yo esperaba en el bar que él me indicó, apareció Chico y él me ha llevado hasta ti. ¿No lo ves? Ahora tenemos suerte. Propongo aprovechar el momento y tomar la iniciativa.

-¿Y qué quiere decir todo eso?

-Una *trampa*. Propongo preparar una trampa para ese policía.

Helena no necesitó pensar mucho para dar su respuesta.

-Una trampa conmigo como *cebo*, ¿verdad? No, gracias.

-Te aseguro que Horacio sabe hacer las cosas bien -dijo el padre de Juan.

-He dicho que no quiero saber nada. Hay un policía loco detrás de mí, tal vez dos...

cebo, algo que hace ir a la persona o animal hacia la trampa

-Olvídate del otro -dijo Horacio con una sonrisa.
-Es verdad -dijo el padre de Juan-. Ése ya no es ningún problema. Tenemos que ocuparnos sólo del que te ha perseguido. Ahora sabemos que está detrás de ti.
-¿Y yo? -pregunté. 5
-Has estado con ella hasta ahora y todo tiene que seguir igual. Así nuestro hombre no va a *desconfiar*.
-Ya he dicho cuál es mi respuesta -dijo Helena-. No.
-Veinticuatro horas -propuso Horacio-. Si dentro de veinticuatro horas exactas no he cogido a ese policía, 10 puedes irte.
-A Venezuela o Brasil -completó el padre de Juan.
-De acuerdo -dijo Helena de pronto-. Pero con una condición. Si conseguís coger al policía, también quiero ir a Sudamérica. 15
-De acuerdo -dijo el padre de Juan y le ofreció la mano.
"¿Y yo qué?", estuve a punto de preguntar; "Helena se va con su novio, ¿y qué gano yo?"
En ese mismo momento Helena preguntó. 20
-¿Y qué pasa con Chico? ¿Vamos a ponerle en peligro por nada?
-Tiene razón -dijo Horacio, mientras el padre de Juan me miraba y se daba cuenta de que yo existía.
-Yo lo único que quiero es estar con Helena -dije. 25
La mirada de Horacio se encontró con la mía. Supe que me comprendía. Encontré en sus ojos aquello que más necesitaba en esa concreta *etapa* de mi vida: respeto.
-Veinticuatro horas -dijo Helena-. Exactamente has- 30

desconfiar, no confiar, creer que hay una trampa
etapa, fase, años

ta mañana a medianoche.

-Ahora tenéis que contarme todo lo que ha pasado en estos días -pidió Horacio-.

Me esperaba una noche larga. Pero no me importaba: Helena y yo seguíamos juntos y eso era lo único importante.

17

Como lugar para un crimen, la vieja fábrica abandonada era el lugar perfecto. Yo no podía dejar de pensarlo durante aquel día interminable.

Estábamos otra vez en la fábrica y completábamos alguna clase de *círculo* en cierto modo mágico. Allí empezó todo y allí tenía que terminar.

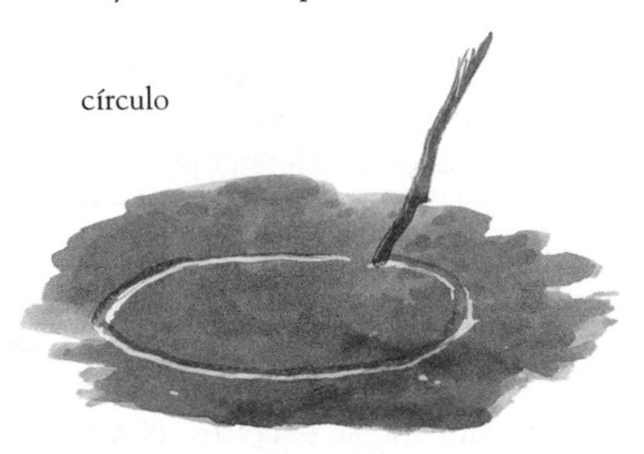

-Hay que actuar de modo normal, ni un gesto diferente -nos dijo Horacio-. Él no tiene que tener motivos para desconfiar.

Por eso elegimos la fábrica. ¿Adónde podíamos volver si no?

-Vais a volver al bar del Albayzín -nos dijo también

Horacio-. En realidad, el dueño no tiene ningún motivo para pensar que no confías en él. Volved y preguntadle si sabe algo de Juan. Decidle que vais a esconderos en la fábrica. El policía va a venir entonces a buscaros. 5

Sabíamos, por Juanjo, que la fábrica seguía vacía. Era una *nave* muy grande, quizá noventa o cien metros de largo y unos veinte o treinta de ancho. Tenía una sola puerta, un *portón* metálico que estaba siempre abierto. Junto al portón había un *altillo*, un simple cuarto vacío 10 con una ventana. Debajo, un despacho con una vieja mesa. Nosotros estábamos en el *rincón* más alejado del portón, en la zona más limpia. Nos sentamos en el suelo y empezamos a esperar. Teníamos un *silbato* y un "spray". 15

silbato

-Si llega hasta ti, usa las dos cosas -eran las palabras de Horacio-. Yo voy a estar siempre suficientemente cerca para oír el silbato. El "spray" puede bastar para dejarle *ciego* durante unos minutos.

De un modo u otro, conseguimos llegar al mediodía 20 sin movernos de aquel rincón. Helena fumaba en silen-

nave, habitación muy grande, normalmente en fábricas
portón, puerta muy grande
altillo, habitación separada en la parte más alta de una casa
rincón, cuando dos paredes se juntan forman una esquina, hacia afuera, o un rincón hacia adentro
ciego, que no puede ver

cio y contestaba mis palabras con *monosílabos*. Seguía con su vieja ropa de trabajo y la gorra, como el día en que la conocí. La miraba con la impresión de que me faltaba aire. "Supongo que esto es lo que llaman amor", pensaba.

Ella fumaba con la mirada perdida en el portón por el que entraba la luz del sol. De pronto se volvió hacia mí y me sonrió y sus ojos se volvieron más claros.

-Chico, tienes que saber que me alegro de haberte conocido.

Sus palabras fueron ésas u otras parecidas, pero no eran las palabras lo importante, sino su voz, su mirada. En sus ojos leí que conocía mi secreto. Quizá ya desde un principio sabía que yo estaba enamorado de ella.

-¿Qué vas a hacer después de esto? ¿Vas a volver a casa?

-Creo que sí.

-Es lo mejor.

Aprendí algo esa mañana: cuando se está terriblemente preocupado o asustado, hablar es muy difícil. Cuando hablábamos, era para no pensar en que nos estábamos *jugando la vida*. Recordé una frase: "Es más fácil morir por la mujer amada que vivir con ella". En aquellos momentos era una verdad.

Hacia las dos de la tarde, yo me moría de hambre, de modo que me comí dos bocadillos y bebí mucha agua. Helena no probó nada.

-¿No crees que es mejor si llevas tú el silbato? -preguntó Helena, que cada vez estaba más nerviosa.

Me lo dio y ella se quedó con el "spray". Continua-

monosílabo, palabra muy corta, con una sola sílaba, como "sí", "yo", "ven", etc.
jugarse la vida, poder morir

mente se ponía en pie y daba unos pasos, siempre lejos del portón. Cuando me miraba, intentaba sonreírme. En algún momento palidecía sin motivo. Yo, por mi parte, estaba demasiado asustado.

A las cuatro de la tarde yo no podía seguir sin ir al cuarto de baño. Después de hablar con Helena, decidimos que lo mejor era hacerlo sin salir de la nave. 5

Una hora más tarde fue ella quien tuvo el mismo problema.

-Estoy segura de que no va a venir. Estamos esperando todo el día para nada. Voy a ir al baño. Me niego a estar escondida como un animal. 10

Su deseo de rebelarse *aumentaba* con cada palabra. Yo no sabía qué hacer para tranquilizarla.

-Bueno, Helena... 15

-No, Chico, ya está bien. No puedo vivir así, ¿no te das cuenta? Un mes en Brasil, y después, ¿qué? ¿Seguir escondiéndome?

Parecía a punto de llorar.

-Te acompaño, dije. 20

Fuimos, por primera vez en ocho horas, hasta el portón, y allí nos paramos. Sólo había tres o cuatro pasos hasta el lugar donde estaba el baño. No vimos a nadie ni oímos nada. Yo sujetaba el silbato en mi mano derecha. 25

Esperé un par de minutos. Malos pensamientos pasaban por mi cabeza "¿Y si Horacio se ha ido? ¿Y si el policía y él se ponen de acuerdo?".

Salió Helena y volvimos a la nave.

Pasaron horas interminablemente *lentas*. 30

aumentar, ser más grande
lento, despacio

-No va a venir -decíamos-. Ahora ya es seguro. Se ha dado cuenta de que esto es una trampa. Estamos perdiendo el tiempo.

Las siete, las ocho, las nueve. Ya casi no teníamos agua. Nos quedaban tres cigarrillos. Nos sentíamos sucios, cansados y un poco ridículos.

Era uno de los días más largos del año, en junio. Hasta después de las nueve y media no empezó a *anochecer*.

-Dos horas y media y nos vamos de aquí -dijo Helena-. Dije hasta medianoche y no voy a esperar un segundo más.

interruptor de la luz

Seguíamos en el rincón del principio. Me levanté y fui hacia el portón, donde estaba el *interruptor de la luz*. Todavía no sabíamos si, después de la visita de la policía, había luz eléctrica. "No va a venir", me repetí. El interruptor estaba junto a la puerta. Lo bajé y, para mi sorpresa, la luz seguía funcionando. Desde el rincón del fondo Helena me hizo un gesto y levantó el brazo con el *pulgar* hacia arriba. "Todo va bien", pensé, y en ese instante alguien sujetó mi mano que seguía en el interruptor: una mano que me pareció enorme, con una

anochecer, cuando empieza la noche
pulgar, dedo gordo de la mano

cicatriz en diagonal. Con la otra mano me ponía unas *esposas*.

esposas

Grité. El hombre me llevaba hacia la puerta del despacho para dejarme allí. No llevaba ninguna pistola ni navaja. Quería tener las dos manos libres, primero para ocuparse de mí, después para ir a buscar a Helena. No quería matarnos en seguida; antes quería divertirse. 5

Yo estaba lleno de pánico. No podía pensar ni sentir otra cosa que horror. Y sin embargo mis músculos funcionaron solos. De un golpe conseguí escapar y corrí hacia el altillo por las escaleras. Él me seguía muy cerca y podía sentir su respiración detrás de mí. Saqué el silbato. Mis manos temblaban y dejé caer el silbato antes de haberlo usado; yo mismo caí también al final de la escalera. 10 15

Puse los brazos en mi cabeza y me preparé para el golpe final, que no llegaba. Imaginé que dirigía su pistola a mi cabeza y por primera vez imaginé en todo su horror la escena del crimen en el banco.

Me volví. Nada. El policía prefería no perder más tiempo conmigo. Me puse en pie y miré por el cristal desde el que se veía toda la fábrica. Ya estaba casi junto a Helena. 20

Helena corría, sin acordarse del spray. Rompí el cristal y grité. 25

-¡Helena!

No se paró. Seguramente no me oía. Y yo no podía hacer nada por ella.

De pronto vi que Helena se volvía. Esperó en pie, las piernas separadas, el pelo cayendo sobre sus hombros
5 como una *llamarada*, magnífica y hermosa. Gritó ella también, y durante un segundo el policía no se movió, fascinado por aquella reacción. En ese mismo instante una sombra atravesó la nave y fue hacia él.

El policía se volvió hacia el nuevo peligro; apenas
10 reconocí a Horacio, con ropas negras; llevaba una pala.

El policía sacó su pistola, pero no tuvo tiempo para usarla. Horacio le golpeó en el cuello y el policía cayó *de rodillas*. Horacio levantó los brazos muy altos sobre su cabeza para dar un último golpe.

15 -¡No!

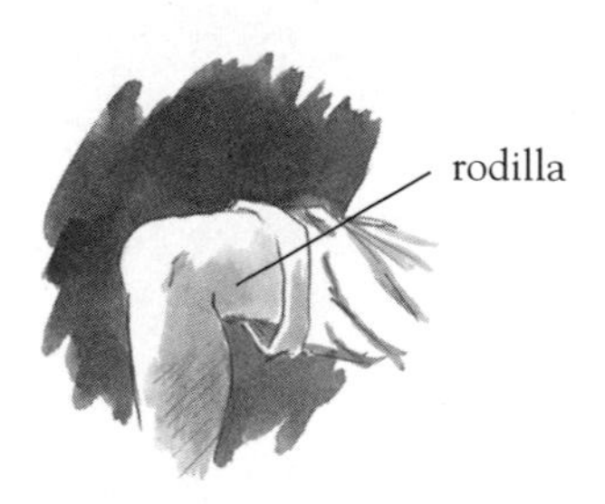

A pocos pasos, con los puños cerrados delante de la boca, Helena gritaba. Yo lo veía todo desde la ventana rota, sin darme cuenta de que, un efecto del pánico, estaba llorando. Horacio cogió la pistola y la puso en la
20 cabeza del policía.

-Tú decides -se dirigió a Helena.

-No -repitió Helena-. No, por favor.

El policía, de rodillas, se sujetaba con las dos manos

llamarada, fuego

el cuello.

Pude oír la voz de Horacio, extrañamente fría y tranquila.

-Le debes la vida.

Helena se acercó despacio y él la abrazó con el brazo izquierdo, sin dejar de mirar al hombre. 5

18

De nuevo estaba solo, pero todo era diferente. En esa última noche de libertad, había algo que tenía que hacer: volver una vez más a mi mirador preferido. Y así lo hice. Subí las callejuelas del Albayzín y atravesé plazas blancas a la luz de la luna. Las cosas eran como debían de ser: Horacio se ocupó de entregar al policía y no era difícil adivinar también sus sentimientos hacia Helena. En los ojos de ella también se veía *brillar* algo cuando le miraba a él. 10 15

Debía de ser medianoche. Llegué al mirador, el más alto de la ciudad. Me senté. Frente a mí estaba la Alhambra. Pasó un minuto en perfecto silencio. Pensé en mis padres: tal vez dormían, o tal vez mi madre estaba mirando la calle y esperaba mi llegada. 20

Recordé que bajo la camisa llevaba un pequeño *tesoro*. Mis dedos lo buscaron. Era la vieja gorra que usaba Helena a menudo.

Era hora de volver. Me puse en pie y miré por última vez la Alhambra. Mientras caminaba -y esa vez era diferente porque caminaba de vuelta a casa- pensé en los 25

brillar, que tiene luz, dar luz
tesoro, algo muy importante, normalmente con oro, diamantes...

azulejos que se ven en la Alhambra. Con su geometría no es posible saber cuál es su centro exacto, pues en vez de un único centro hay muchos, y cada uno de ellos es el centro de todo.

5 Supe que los días de mi aventura eran el centro de aquella etapa de mi vida. Después en mi vida podía haber otros centros, días intensos... y a lo mejor también otras Helenas. Pero a ella la voy a llevar siempre donde se lleva lo más importante: en la memoria.

azulejo

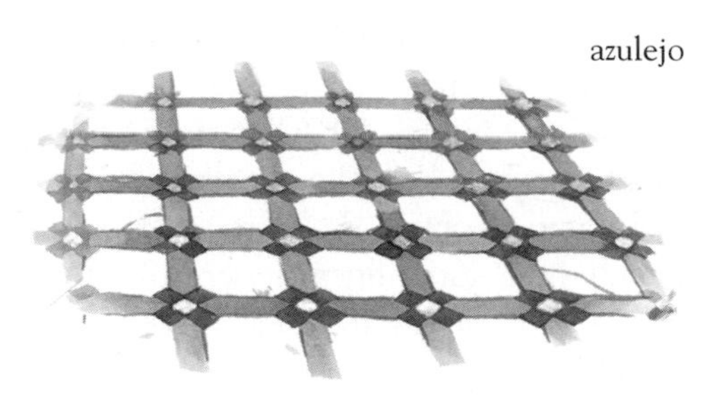

TAREAS

Contenido

1. Describe cómo es la vida de los "okupas" en la fábrica abandonada.

2. Helena le habla a Chico de su familia y de su casa. ¿Qué le cuenta? ¿Cuál es la verdad?

3. Más tarde el policía encuentra a Helena en Granada. ¿Cómo pudo saber dónde estaba Helena? (si no lo sabes, busca la respuesta en el capítulo 12)

4. Helena y Chico huyen de Granada y visitan a Héctor. ¿Por qué está Héctor escondido en un pequeño pueblo?

5. ¿Por qué Helena decide volver a Granada?

6. En Granada el policía vuelve a encontrar a Helena. ¿Por qué intenta violarla en vez de matarla directamente?

7. Describe cómo es la fábrica en la que Helena y Chico esperan al policía.

8. ¿Qué crees que Helena hace al final? ¿Se va a Latinoamérica con Juan? ¿Se enamora de Horacio? ¿Vuelve con Chico? Razona (= explica) tu respuesta.

Los personajes

9. Entre las palabras a continuación, ¿cuáles son adecuadas para Helena, cuáles para Chico y cuáles para Horacio? Intenta encontrar más palabras para cada personaje.

escritor	mentir	pelirroja	guapa	barba
seguro	libertad	fuerte	joven	enamorado
idealista	duro	miedo	Madrid	

Con las palabras seleccionadas, describe a Helena, Chico y Horacio.

10. Chico no es un héroe. Busca ejemplos que lo demuestran.

11. ¿Cómo es Juan? ¿Crees que es un buen novio y se preocupa por Helena? Razona tu respuesta.

Estilo y narrador

12. Busca cinco palabras de "argot juvenil" (lenguaje que emplean los jóvenes). Escribe también lo que significan en español normal.

13. El autor del libro es Manuel L. Alonso. ¿Qué sabes de él?

14. El narrador (personaje que cuenta la historia) es otro. ¿Quién es el narrador? (lee el comienzo del capítulo 5).